Le père ne répond plus

Une histoire écrite
et illustrée par
Rémy Simard

À l'oncle Gilles
Rémy

cheval
masqué

Catalogage avant publication de Bibliothèque et Archives nationales du Québec et Bibliothèque et Archives Canada

Simard, Rémy

Le père Noël ne répond plus !

(Cheval masqué. Au galop)
Pour enfants de 6 à 10 ans.

ISBN 978-2-89579-516-2

I. Titre. II. Collection: Cheval masqué. Au galop.

PS8587.I306P47 2013   jC843'.54   C2013-940746-4
PS9587.I306P47 2013

Dépôt légal – Bibliothèque et Archives nationales du Québec, 2013
Bibliothèque et Archives Canada, 2013

Ce texte a été publié pour la première fois dans le magazine *J'aime lire* en décembre 2009.

Direction: Andrée-Anne Gratton
Révision: Sophie Sainte-Marie
Graphisme: Janou-Ève LeGuerrier

Nous reconnaissons l'aide financière du gouvernement du Canada par l'entremise du Fonds du livre du Canada (FLC) pour des activités de développement de notre entreprise.

Conseil des Arts   **Canada Council**
du Canada   **for the Arts**

Bayard Canada Livres inc. remercie le Conseil des Arts du Canada du soutien accordé à son programme d'édition dans le cadre du Programme des subventions globales aux éditeurs.

Cet ouvrage a été publié avec le soutien de la SODEC. Gouvernement du Québec – Programme de crédit d'impôt pour l'édition de livres – Gestion SODEC.

Bayard Canada Livres
4475, rue Frontenac, Montréal (Québec) H2H 2S2
Téléphone : 514 844-2111 ou 1 866 844-2111
edition@bayardcanada.com
bayardlivres.ca

Imprimé au Canada

Offert en version numérique

978-2-89579-907-8
bayardlivres.ca

Chapitre 1

OÙ EST LILI ?

Dans la cuisine, il y a une maman pas très contente.

— Lili ! Viens déjeuner !

La maman laisse tomber son tablier, monte l'escalier, ouvre la porte de la chambre et dit :

— Lili ? Lili, es-tu là ?

3

La maman ne voit pas Lili dans son lit. Lili n'est pas dans sa chambre.

— Lili, où es-tu?

La maman court de la salle de bain au salon. Elle fait le tour de la maison. Aucune trace de Lili.

Elle entre dans la chambre de son garçon et dit:

— Jules, ta sœur s'est cachée. Aide-moi à la trouver.

Sans lever les yeux de son roman policier, Jules répond:

— Lili n'est pas cachée.

Sa maman le regarde, paniquée.

— Alors elle s'est sauvée! Ou elle a été kidnappée!

Jules sort le nez de son livre et regarde sa mère, d'un air découragé.

— Lili fait du camping.

— Du camping en plein mois de décembre? Il faut aller la chercher avant qu'elle se transforme en bonhomme de neige!

Jules se lève et attrape sa grande robe de chambre.

— Laisse faire, je m'en occupe.

Sa mère s'inquiète :

— Tu vas prendre froid.

— Je n'irai pas bien loin, répond Jules. Jette un coup d'œil dehors.

La maman colle le nez à la fenêtre. Dehors, il y a un tapis de neige fraîche. Une toute petite tente se dresse juste à côté de la boîte aux lettres, près de l'entrée de la maison.

Chapitre 2

PAS DE NOUVELLES DU PÈRE NOËL

Jules se dirige vers la petite tente. Il ouvre la toile et découvre sa sœur enfouie sous dix sacs de couchage.

— Lili, tu ferais mieux de rentrer. Maman t'a préparé ton déjeuner.

— C'est gentil, mais je ne bougerai pas d'ici tant que je n'aurai pas reçu ma lettre.

Jules la regarde, intrigué. Il demande :
— Une lettre de qui ?
— Une lettre du père Noël, bien sûr !

Lili va vérifier ce que le facteur a apporté. Elle trouve des factures et des tonnes de publicités de jouets, mais aucune lettre du père Noël.

— Te rends-tu compte, Jules ? Le père Noël ne m'a pas encore écrit, et nous sommes à deux semaines de Noël.

— Il a peut-être perdu son crayon. Ou bien il te trouve trop vieille.

— Je ne suis pas vieille ! Et un bon père Noël répond toujours à ceux qui lui envoient une lettre. J'ai précisé que j'avais été sage toute une semaine et que je méritais ma poupée à poux. J'ai collé un timbre et j'ai posté ma lettre l'été dernier. Une lettre ne peut pas mettre plus de six mois à venir du pôle Nord !

— Le père Noël a peut-être perdu ta lettre, tente Jules.

— Un père Noël ne perd jamais de lettre. Il y a quelque chose qui cloche et je voudrais bien savoir quoi.

Lili ajuste sa tuque sur sa tête, enfile ses mitaines et elle s'éloigne d'un pas décidé.

Jules la suit, en bon grand frère.

— Lili, dis-moi où tu vas.

— Là où se trouve le père Noël!

— Au pôle Nord?

— Non, nigaud. Au centre commercial!

Chapitre 3

UNE BIEN TRISTE NOUVELLE

Jules a du mal à suivre sa jeune sœur. Malgré ses petites jambes, Lili marche aussi vite que monsieur Albert, le géant du quartier.

D'une des grandes poches de sa robe de chambre, Jules sort sa pancarte de brigadier pour permettre à Lili de traverser les rues sans danger.

Après quelques minutes de marche hyper rapide, ils arrivent au centre commercial. Lili cherche partout le père Noël.

— Père Noël ! Où te caches-tu, mon bonhomme ? Tu es mieux d'avoir une bonne raison pour ne pas m'avoir écrit !

Elle entre dans les boutiques et met tout sens dessus dessous. Elle regarde sous les comptoirs, sur les tablettes et dans les cabines d'essayage.

— Haaa! crient les dames à demi vêtues.

En entendant tous ces hurlements, le directeur du centre commercial accourt.

— Mademoiselle Lili, Mademoiselle Lili ! Qu'y a-t-il ? Qui cherchez-vous ainsi ? Je peux peut-être vous être utile.

Lili hésite : doit-elle répondre au directeur ou lui marcher sur les pieds ? Avant qu'elle prenne une décision, Jules dit :

— On cherche le père Noël.

— Ah ! vous aussi ?

Le directeur semble découragé.

— Il n'est pas venu depuis cinq jours. C'est une catastrophe ! Pas de père Noël alors que nous sommes à deux semaines de Noël.

Lili tire son frère par sa robe de chambre.

— Viens, Jules. Il y a sûrement un père Noël à l'autre centre commercial.

Le directeur les arrête.

— Ça ne sert à rien. C'est pareil dans tous les centres commerciaux. Il n'y a plus un seul père Noël dans toute la ville.

Soudain, le directeur se met à pleurer comme un petit enfant :

— OUIN!!! Le père Noël a disparu !

Chapitre

4

LE PÈRE JULES

Un Noël sans père Noël, Lili ne peut pas le croire. Elle regarde le directeur du centre commercial droit dans les yeux.

— S'il n'y a plus de père Noël, est-ce qu'il y aura quand même des cadeaux?

Le directeur se mouche avant de répondre:

— C'est ça, le pire. Plus personne n'achète de cadeaux de Noël!

Lili s'exclame :

— Alors j'ai été sage toute une semaine pour rien ? Ça ne peut pas se passer comme ça !

Avant que sa sœur se fâche et brise tout, Jules intervient :

— Je crois que j'ai une idée.

Jules a toujours de bonnes idées. Il est très fort pour résoudre des énigmes. Il dit :

— Deux choses peuvent expliquer cette disparition. La première : tous les pères Noël sont partis dans le Sud. La deuxième : ils ont tous attrapé le rhume.

Le directeur range son mouchoir et dit :

— Pour éclaircir le mystère, nous devrions aller voir dans la loge. Venez avec moi !

Tout en suivant le directeur, Jules demande à sa sœur:

— Savais-tu que le père Noël avait une loge?

— Voyons, Jules! Toutes les vedettes internationales ont une loge. Et il n'y a pas plus vedette que le père Noël.

Ils entrent dans la petite pièce qui sert de loge. Tout semble à sa place. Les maillots de bain sont dans le placard et la boîte de mouchoirs est encore pleine.

Le directeur demande à Jules:

— As-tu une autre explication?

— Ils ont peut-être été kidnappés!

Le directeur s'exclame:

— Kidnappés? C'est horrible! En es-tu sûr, Jules? Je n'ai reçu aucune demande de rançon.

— Pour nous en assurer, il faut un nouveau père Noël!

— Mais c'est dangereux! Si tu as raison, il se fera enlever aussi. Personne ne voudra courir ce risque.

Lili lève la main et annonce :

— Moi, je vais me déguiser en père Noël. Quand le méchant voudra m'enlever, je l'assommerai.

Jules regarde sa jeune sœur.

— Tu es trop petite, Lili. C'est moi qui dois le faire.

Le directeur admire le courage de Jules.

— Bon. D'accord. Je vais faire installer des affiches partout. Comme ça, toute la ville saura que le père Noël reviendra à notre centre commercial. Mais je t'aurai prévenu du danger…

Jules ne se soucie pas du danger. Il cherche plutôt un déguisement.

— Il me faut une grande barbe blanche.

Le directeur ouvre une grosse armoire.

— Tu peux prendre un costume de père Noël.

— Merci, je n'en ai pas besoin. Ma robe de chambre suffira.

Lili, surprise, lui dit :

— Voyons, Jules, le père Noël ne porte pas de robe de chambre bleue !

— Je vais mettre la robe de chambre rouge de maman.

— La robe de chambre de maman n'est pas rouge !

UN PÈRE NOËL ROSE !

Tous les habitants de la ville sont au centre commercial pour assister au retour du père Noël. Le directeur semble ravi: Noël sera sauvé! Il reçoit les félicitations des parents tout contents. De plus, son centre commercial est le seul de la ville à avoir un père Noël. Les gens achèteront tous leurs cadeaux ici. Ça lui rapportera beaucoup d'argent!

Tout à coup, deux énormes bonshommes s'avancent vers lui en montrant leur carte d'identité.

— Monsieur le directeur, nous sommes les inspecteurs Dédé et Polo.

L'inspecteur Dédé sort un petit bout de papier et commence à lire :

— Nous avons su que vous devez recevoir le PN.

L'inspecteur Polo corrige :

— Le père Noël, imbécile !

L'inspecteur Dédé continue à lire :

— À la suite de plusieurs disparitions d'autres PN… Je veux dire d'autres pères Noël imbéciles…

— C'est toi, l'imbécile ! souffle Polo.

— Nous devons assurer la sécurité de votre euh…

Le directeur répond :

— Oui, oui, je comprends.

— Le père Noël devrait être là d'une minute à l'autre. Allez l'attendre à la porte sud…

Dédé demande au directeur :

— C'est où, sud ?

Polo tire son ami par la manche :

— Par ici, imbécile.

À la porte sud, Dédé et Polo voient un bonhomme en rose et un lutin s'approcher. Polo demande à son ami :

— Crois-tu que c'est le père Noël ?

Dédé répond :

— Le père Noël ne se promène pas en robe de chambre rose.

— Peut-être qu'il vient de se lever ou qu'il va bientôt se coucher. C'est le père Noël. Personne d'autre ne se promène avec un lutin.

— C'est bon, on l'embarque.

Dédé et Polo se précipitent vers le père Noël. Ils sont gros, mais ils courent très vite. Si vite que Jules-le-père-Noël-rose et Lili-le-lutin n'ont pas le temps de se sauver. Polo sort un immense sac en tissu. Dédé attrape les enfants et les enferme dans le sac. Puis les deux hommes sautent dans une camionnette et démarrent comme une fusée.

Chapitre

6

LE VILAIN PETIT ROI

Dans la camionnette, Jules et Lili se font ballotter. Lili dit :

— Aïe ! nous sommes cuits.

— Nous ne sommes pas cuits, répond Jules, nous sommes pris. Mais ça fait partie du plan.

— Du plan ? demande Lili.

— Oui, le plan A, le plan B et le plan C.

— On a trois plans ?

— Oui, mais le plan C, je ne le connais pas encore…

Tout à coup, la camionnette s'arrête. De grosses mains agrippent le sac qui rebondit sur le sol.

— Aïe! ça suffit! se plaint encore Lili.

Jules rassure sa petite sœur.

— Tout se passe comme prévu: ces deux gorilles vont nous amener voir leur patron.

— On a été enlevés par des gorilles ?

— Pas par de vrais gorilles. Des gorilles du genre messieurs à gros bras et petite cervelle.

Un des gorilles ouvre le sac et le secoue. Jules et Lili se retrouvent fesses par terre.

Lili demande :

— Où sommes-nous ?

— Tais-toi, le lutin. Le roi va bientôt arriver.

Justement, un petit bonhomme entre dans la pièce. Il n'a pas l'air gentil.

— Alors, les amis, vous vouliez jouer à la mère Noël et au nain de jardin ?

Lili se fâche :

— Je ne suis pas un nain de jardin ! Je suis un lutin. Et lui, c'est le père Noël.

— Je sais et je n'ai pas de temps à perdre avec des enfants imposteurs !

Le roi dit à ses gorilles :

— Débarrassez-vous de ce lutin de jardin et enfermez le père Noël rose avec les autres.

Jules lève la main et demande :

— Puis-je savoir qui vous êtes et pourquoi vous enlevez tous les pères Noël ?

— Tu ne sais pas qui je suis ? Je te croyais plus intelligent ! Je suis le roi Noël. Maintenant, je vais régner sur Noël. Tous les cadeaux seront pour moi !

Le vilain petit roi éclate de rire :

— Hé ! hé ! hé !

C'est beaucoup moins sympathique que « Ho ! ho ! ho ! »

Les deux gorilles amènent Jules jusqu'à un grand camion. Dedans, trois mille deux pères Noël sont enfermés. Ils sont un peu surpris de voir un collègue en robe de chambre rose.

Dédé demande à Polo :

— Qu'est-ce qu'on fait avec le nain ?

— On le jette.

Lili n'aime pas trop l'idée d'être mise aux ordures. Ça ne sent pas bon.

— Espèces de pollueurs, sachez que tout se recycle !

— Tu as raison. On va te mettre au recyclage.

LE PLAN B

Les deux gorilles se demandent où déposer le lutin : dans le papier, le plastique ou le métal ? Lili leur vient en aide.

— Tout le monde sait qu'un lutin est en plastique, pauvres imbéciles. Mettez-moi dans le bac en plastique et sortez-le à la rue.

Les deux gorilles écoutent Lili et la laissent seule à la rue.

Le plan A, qui était de libérer les pères Noël sans aide, n'a pas fonctionné. Maintenant, Lili va appliquer le plan B.

Elle court aussi vite qu'elle peut et arrive au poste de police en criant :

— Jules s'est fait enlever !

Le policier à la réception reconnaît Lili, même avec son déguisement de lutin.

— Ton frère Jules, celui qui est toujours en robe de chambre ?

— Oui, il était déguisé en père Noël et il a été kidnappé par le roi Noël !

— Le roi Noël ? interroge le policier.

Lili raconte ce qui s'est passé.

— Quel horrible personnage ! s'exclame le policier. Comment peut-on l'attraper ?

Lili répond :

— Moi, je sais. J'ai le plan B.

Elle sort un petit bout de papier que Jules lui a donné.

Le policier lit, puis il sourit.

— Ton frère a un excellent plan B, Lili. Nous n'avons pas une minute à perdre.

8
LES DERNIERS PÈRES NOËL

Le bonheur et l'espoir sont enfin revenus en ville. Les policiers ont annoncé partout l'arrivée des douze derniers pères Noël du monde. Au centre commercial, le directeur a couvert les murs d'affiches. Il a même dit à la radio et à la télé que les pères Noël arriveraient dans une camionnette rouge. Tous les habitants de la ville attendent avec impatience ce grand événement.

La camionnette approche du centre commercial. Tout à coup, un gros bruit retentit.

Bang ! Bing ! Bang !

Que fait la camionnette des pères Noël ? Elle vole ! Elle est soulevée dans les airs ! Un hélicoptère l'enlève à l'aide d'un aimant géant !

La foule regarde l'hélicoptère s'éloigner avec son précieux chargement. Cette année, il n'y aura pas de père Noël!

Après quelques minutes de vol, l'hélicoptère dépose la camionnette sur un grand terrain, tout près d'un gros camion. C'est celui rempli de pères Noël! Le roi Noël ordonne à ses gorilles:

— Sortez-moi ces derniers pères Noël. Que mon règne commence!

Dédé et Polo ouvrent les portes de la camionnette rouge. Ils sont un peu surpris. Dédé dit:

— Au moins, ceux-là ne portent pas de robe de chambre rose.

Polo ajoute:

— Il y a quand même quelque chose qui cloche dans leur costume de père Noël...

Le roi Noël comprend tout de suite, lui! Vite, il se met à courir. Mais Lili a un talent pour faire des crocs-en-jambe. Le roi tente de se relever, mais les douze pères Noël à casquettes de policier l'ont encerclé.

Jules dit aux policiers:

— Ne soyez pas trop sévères. Cet homme voyait toujours plein de cadeaux autour de lui, mais personne ne pensait lui en offrir.

Jules enlève la couronne et la barbe du roi. Lili le reconnaît alors.

— Le directeur du centre commercial!

Le directeur demande à Jules:

— Comment as-tu fait pour savoir que c'était moi?

— Facile. Vous êtes directeurs de centre commercial de père en fils. Vous vivez des

Noëls tristes, sans jamais recevoir de cadeau.

Jules sort une photo de sa poche.

— J'ai trouvé ça dans la loge du centre commercial. Le petit garçon qui assomme le père Noël, c'est vous !

ÉPILOGUE

Deux jours plus tard, quelqu'un sonne à la porte. Lili descend l'escalier à toute vitesse! Le facteur a une poche immense pour Lili. Il lui dit:

— J'ai trois mille trois lettres de pères Noël pour toi.

Jules, fort en mathématiques, est surpris.

— Nous avons sauvé trois mille deux pères Noël. Il y a une lettre de trop!

Lili vide le contenu de la poche et remarque une lettre bien différente des autres. Elle vient du pôle Nord! Lili la prend et l'enveloppe se met à fondre. Il ne lui reste qu'un petit carton d'invitation qu'elle peut lire toute seule:

«Ho! ho! ho! Que dirais-tu de passer Noël avec moi?»

FIN

Voici les livres AU GALOP de la collection :

Lesquels as-tu lus ? ☑